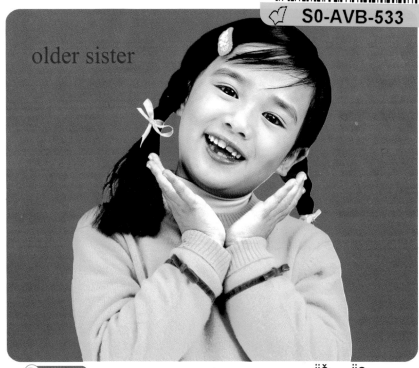

older sister

智慧碰碰车

解释:同辈比自己年龄大的女子。

造句:姐姐的发卡真好看。

jiě jie
姐姐

younger brother

解释:同辈比自己年龄小的男子。

造句:弟弟的小手胖乎乎的。

dì di
弟弟

younger sister

解释：同辈比自己年龄小的女子。

造句：妹妹笑起来真漂亮。

mèi mei
妹 妹

5

father

解释:父亲。

造句:爸爸和我一起做游戏。

bà ba
爸 爸

6

mother

解释:母亲。

造句:我喜欢妈妈抱着我。

mā ma
妈 妈

grandfather

智慧碰碰车

解释：爸爸的父亲。

造句：爷爷是个退休干部。

yé ye
爷 爷

grandmother

解释：爸爸的母亲。

造句：奶奶最喜欢听我唱歌了。

nǎi nai
奶 奶

grandpa

🚌 智慧碰碰车

解释：妈妈的父亲。

造句：外公每天都要看书。

wài gōng
外公

grandma

🚗 智慧碰碰车

解释：妈妈的母亲。

造句：外婆喜欢坐在公园里画画。

wài pó
外 婆

uncle

shū shu
叔叔

解释：与父亲同辈比他小的男子。
造句：叔叔爱看报纸。

aunt

解释：与父母同辈的女子。

造句：阿姨长得真漂亮。

ā　yí
阿　姨

uncle

🚗 智慧碰碰车

解释：妈妈的兄弟。

造句：舅舅非常关心我的成长。

jiù jiu
舅 舅

aunt

智慧碰碰车

解释：爸爸的姐妹。

造句：姑姑经常给我买漂亮的衣服。

gū gu
姑 姑

uncle

解释:与父亲同辈比父亲大的男子。

造句:我的伯伯是健身教练。

bó bo
伯伯

baby

解释：初生的孩子。

造句：婴儿的皮肤很细嫩。

yīng ér
婴 儿

17

child

yòu ér
幼儿

解释：幼小的儿童，一般指学龄前的儿童。

造句：幼儿每天都要喝牛奶。

18

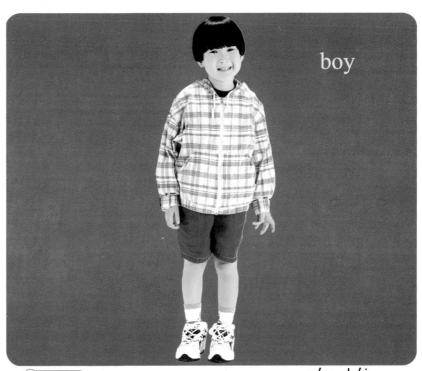

boy

解释：未成年的男性。

造句：男孩一定要勇敢。

nán hái
男 孩

girl

🚗智慧碰碰车

解释：未成年的女性。

造句：这个小女孩长得真可爱。

nǚ hái
女孩

old people

🚗 智慧碰碰车

解释:指上了年纪的人。

造句:小朋友要尊敬老人。

lǎo rén

老人

schoolchild

解释:在学校读书学习的儿童。

造句:小学生要按时上学。

xiǎo xué sheng

小 学 生

friend

智慧碰碰车

解释：彼此有交情的要好的人。

造句：朋友之间要互相关爱。

péng you

朋 友

doctor

解释:学位的最高级别,也指取得这一学位的人。

造句:他是一位医学博士。

bó shì
博士

handicapped

智慧碰碰车

解释：肢体、器官有缺陷的人。

造句：她是一位很乐观的残疾人。

cán jí rén
残 疾 人

blind person

智慧碰碰车

解释：失去视力看不见东西的人。

造句：盲人手拿竹竿过马路。

máng rén
盲人

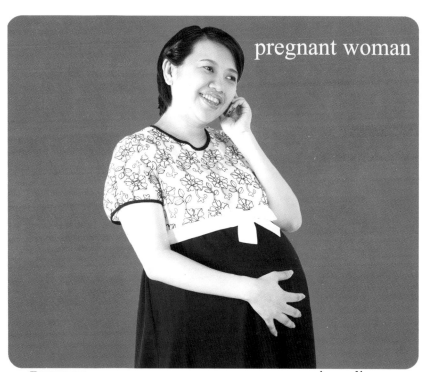

pregnant woman

智慧碰碰车

解释：怀孕的妇女。

造句：我的姑姑是一位孕妇。

yùn fù
孕 妇

27

guest

🚗 智慧碰碰车

解释：被邀请受招待的人。

造句：阿姨热情地招待客人。

kè rén
客 人

waiter

🚗智慧碰碰车

解释:多指饭店等服务行业中招待客人的工作人员。

造句:这位服务员的笑容很亲切。

fú wù yuán
服 务 员

singer

解释:擅长歌唱的人。

造句:她是位著名的歌手。

gē shǒu
歌手

30

worker

解释：多指靠工资为生的劳动者。

造句：工人正在车间工作。

gōng rén

工 人

31

painter

解释：专门从事绘画艺术工作的人。

造句：他的理想是当一名画家。

huà jiā
画 家

telephonist

智慧碰碰车

解释：使用交换机分配电话线路的工作人员。

造句：我姐姐是话务员。

huà wù yuán
话 务 员

police

🧠 智慧碰碰车

解释：管理社会治安的武装人员。

造句：警察真威风！

jǐng chá
警察

serviceman

解释：有军籍的人；服兵役的人。

造句：阿姨是位军人。

jūn rén

军 人

airline hostess

 智慧碰碰车

解释:指客机上为旅客服务的人员。

造句:这位空姐真漂亮。

kōng jiě
空 姐

scientist

解释：进行科学研究有成就的人。
造句：爱迪生是位伟大的科学家。

kē xué jiā
科学家

37

teacher

lǎo shī
老师

解释：学校里教孩子们学知识的人。

造句：我的英语老师对我很好。

38

cook

智慧碰碰车

解释:以烹制菜点为主要工作的人。

造句:这位厨师做的菜真好吃。

chú shī

厨 师

secretary

解释:协助领导联系接待、交办事项等的工作人员。

造句:她是一位很称职的秘书。

mì　shū
秘 书

model

解释：展示服装或人体美的人。

造句：模特的身材真好。

mó tè
模 特

shepherd

解释：放养羊的人。

造句：牧羊人叔叔每天都要盯着羊儿吃草。

mù yáng rén
牧羊人

farmer

智慧碰碰车

解释:从事农业生产的劳动者。

造句:农民伯伯在田里辛勤地劳动。

nóng mín
农民

submariner

🚗 智慧碰碰车

解释：在水下工作的专业人员。

造句：潜水员在海底游来游去。

qián shuǐ yuán
潜水员

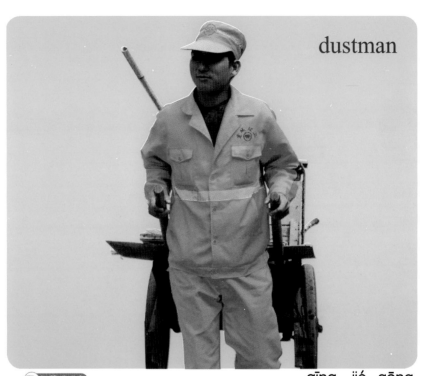

dustman

🚗 智慧碰碰车

解释:打扫街道卫生的工人。

造句:清洁工正在打扫街道。

qīng jié gōng

清洁工

cameraman

智慧碰碰车

解释：拍摄生活图像信息的人员。

造句：摄影师正在拍摄图片。

shè yǐng shī
摄 影 师

calligrapher

🚗智慧碰碰车

解释：具有汉字书写能力，并能将其推至艺术高度的人。

造句：王爷爷是位著名的书法家。

shū fǎ jiā
书 法 家

martial artist

智慧碰碰车

解释:指擅长拳术和使用刀枪等技艺的人。

造句:这位武术师经常被邀请去各地表演。

wǔ shù shī
武 术 师

dancer

🚗 智慧碰碰车

解释：从事文艺、音乐、大众艺术表演的人员。

造句：我的小姨是位舞蹈家。

wǔ dǎo jiā
舞 蹈 家

dramatist

解释：表演和研究中国戏曲的专业人士。

造句：我的姑姑是著名的戏曲家。

xì qǔ jiā
戏 曲 家

fireman

解释:救火、防火的人。

造句:消防员叔叔都是勇敢的人。

xiāo fáng yuán
消 防 员

doctor

🚗智慧碰碰车

解释：医院里为病人治病的人。

造句：医生对病人都很细心。

yī shēng
医生

musician

🚗智慧碰碰车

解释:专门从事音乐活动,给人带来美的享受的人。
造句:这位音乐家每周都会去表演。

yīn yuè jiā
音 乐 家

nutritionist

🚗 智慧碰碰车

解释：从事与营养相关的专业人士。

造句：营养师设计的饮食方案很专业。

yíng yǎng shī
营养师

fitness trainer

智慧碰碰车

解释:指在健身俱乐部中指导会员进行训练的工作人员。
造句:她是一名瑜伽健身教练。

jiàn shēn jiào liàn
健身教练

astronaut

解释：指以太空飞行为职业或进行过太空飞行的人。

造句：宇航员都有着强壮的身体。

yǔ háng yuán
宇 航 员

boxer

智慧碰碰车

解释：在擂台上互相搏击的运动员。

造句：这位拳击手的体重有80公斤。

quán jī shǒu
拳击手

57

athlete

🚗智慧碰碰车

解释:进行体育活动的专业人士。

造句:我的表哥是一名足球运动员。

yùn dòng yuán
运 动 员

aviator

解释:飞机或其他航空器的驾驶员。
造句:飞行员正走出机舱。

fēi xíng yuán
飞 行 员

图书在版编目(CIP)数据

难不倒早教圈圈书. 第 1 辑. 认识人物/李翔主编；吴飞绘.—武汉：长江出版社.2009

ISBN 978-7-80708-813-4/G·394

Ⅰ.①难… Ⅱ.①李… ②吴… Ⅲ.①常识课—学前教育—教学参考资料 Ⅳ.①G613

中国版本图书馆 CIP 数据核字(2009)第 200507 号

早教圈圈书
（第一辑）

 颜色形状 动物 兵器

 交通工具 水果蔬菜 自然风景

 生活用品 动物 国旗

10

难不倒早教圈圈书.第 1 辑.认识人物　　　李翔　主编

装帧设计：悦美图书设计
经　销：各地新华书店
印　刷：湖北美华印务有限责任公司
规　格：889×1194　1/48　1.25 印张
版　次：2013 年 2 月第 2 版　2013 年 2 月第 1 次印刷
ISBN 978-7-80708-813-4/G·394
定　价：100.00 元(共 10 册)

ISBN 978-7-80708-813-4

9 787807 088134 >

定价：100.00 元(共十册)

ISBN 978-7-80708-813-4/G·394